Collection folio cadet

ISBN : 2-07-031021-3

Numéro d'édition : 31505
Dépôt légal : Mai 1983
Imprimé en Italie

MARIE-RAYMOND FARRÉ

Les aventures de Papagayo

Illustré par
ROLAND SABATIER

Gallimard

10, rue des Frissons !

10, rue des Frissons, c'était l'adresse d'une taverne fameuse dans le port d'Amsterdam. Les pirates de la terre entière s'y donnaient rendez-vous pour boire le meilleur rhum du pays et goûter au foudre brûlant, une succulente purée aux pommes acides et au lard salé.

Cathie Mini et sa grande sœur Madeleine tenaient cette taverne, et rondement, je vous prie de croire. Pourtant, elles n'avaient que dix et quinze ans, et leurs parents étaient morts depuis longtemps. Les deux orphelines mettaient rarement le nez dehors. Elles n'avaient jamais entendu hurler le vent du large ni même contemplé la mer en furie.

Madeleine et Cathie Mini, c'était comme le jour et la nuit.

Maigre, noiraude et le cheveu hirsute, Cathie Mini ressemblait au diable. Elle portait un pantalon corsaire maintes fois rapiécé et un maillot rayé. Une mèche rebelle lui barrait toujours l'œil comme un bandeau de pirate, et elle vous fixait de l'autre, plus noir, plus sombre que l'enfer. Cathie Minie était si petite que les clients ne faisaient pas attention à elle, lorsqu'elle se faufilait entre les tables pour servir le rhum et les portions de foudre brûlant.

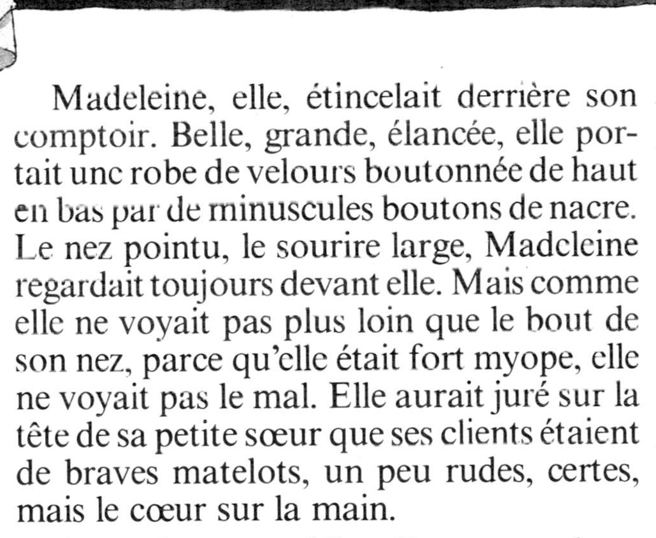

Madeleine, elle, étincelait derrière son comptoir. Belle, grande, élancée, elle portait une robe de velours boutonnée de haut en bas par de minuscules boutons de nacre. Le nez pointu, le sourire large, Madeleine regardait toujours devant elle. Mais comme elle ne voyait pas plus loin que le bout de son nez, parce qu'elle était fort myope, elle ne voyait pas le mal. Elle aurait juré sur la tête de sa petite sœur que ses clients étaient de braves matelots, un peu rudes, certes, mais le cœur sur la main.

Cependant gare si l'un d'entre eux chantait une chanson gaillarde, sortait son coutelas pour menacer son voisin, jurait ou crachait... Madeleine l'empoignait d'une main de fer et jetait le forban, tête la première, dans un baquet d'eau glacée. Et malgré ses hurlements, la jeune fille lui frottait vigoureusement les oreilles avec un gant de crin, sous les ricanements et les quolibets des autres gredins.

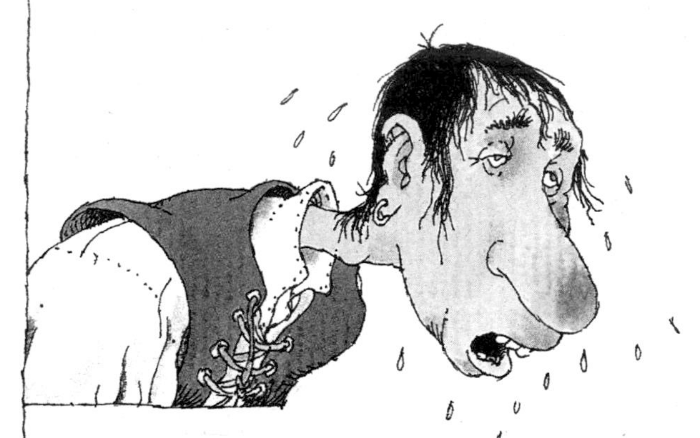

En revanche, Cathie Mini savait bien à qui elle avait affaire. Elle n'avait pas l'œil dans sa poche, elle ! Les borgnes, les manchots, les culs-de-jatte, les gueux en caleçons crasseux tout comme les gentilhommes aux doigts chargés de rubis, ils faisaient tous partie de la grande famille des écumeurs des mers.

Il fallait entendre l'aveugle au pistolet d'or raconter ses horribles exploits dans la mer des Caraïbes, ou l'espèce d'ours à la barbe tressée décrire sa fantastique traversée de la mer des Sargasses pleine de monstres marins.

Il fallait les voir jongler avec des pièces de pays lointains quand ils jouaient au *black jack*. Ils pariaient des trésors fabuleux, des galions aux cales remplies de bois de santal et de diamants, ils pariaient des îles, les Amériques... Vrai, ils auraient parié le monde entier !

Et c'est sur leurs cartes au trésor que Cathie Mini apprit la géographie.

Et c'est en écoutant leurs histoires qu'elle se promit de faire le tour du monde.

Les nuits de Cathie Mini

Au coucher du soleil, Madeleine agitait une clochette et se mettait à crier :

“Dehors, matelots ! Dehors ! Il est temps de rejoindre vos femmes et vos enfants !”

La plupart des pirates reprenaient leurs dés, leurs cartes et leurs pièces d’or puis se traînaient vers la sortie en grommelant. Mais tous les soirs, quelques retardataires voulaient absolument terminer leur partie de *black jack*. Madeleine était obligée de les chasser à coups de balai. Ses clients mis à la porte, elle fermait la taverne à double tour.

Tandis que la jeune fille lavait le parquet à grande eau, Cathie Mini rangeait les tables et les tabourets. Puis les deux sœurs se préparaient une bonne soupe aux croûtons et finissaient leur repas par une pomme cuite au four.

La nuit était déjà tombée.

“Montons vite nous coucher, disait Madeleine. C’est l’heure où les ombres sortent de leur trou.”

Les deux orphelines grimpaient dans leur chambre qui sentait bon le bois ciré. Aussitôt, Madeleine enfilait sa chemise de nuit et se réfugiait dans le grand lit.

“Mais il est trop tôt pour dormir ! protestait Cathie Mini. Tu ne veux pas jouer aux pirates ?

- D’accord, répondait Madeleine, ratatinée sous l’édredon. Mais pas trop longtemps. J’ai sommeil, et les clients commencent à s’impatienter dès l’aurore.”

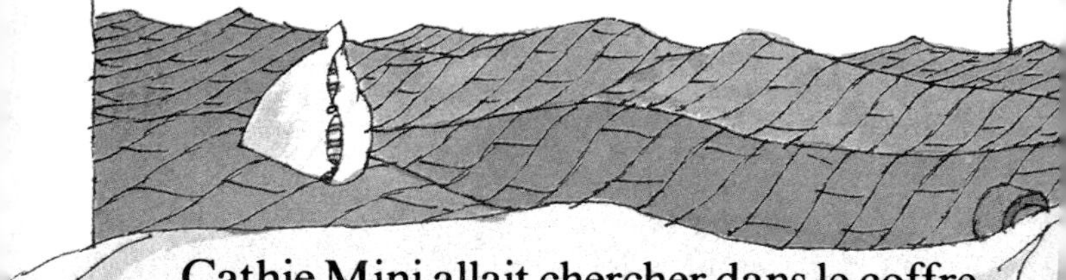

Cathie Mini allait chercher dans le coffre noir aux clous dorés une poche de bonbons. Madeleine choisissait un bonbon à la fraise, Cathie un chocolat.

“Le sort en est jeté ! annoncait Cathie Mini. Tu es le capitaine Mad et moi le capitaine Cat, les terribles pirates.”

Alors, la chambre basculait, le lit devenait bateau, les lattes du parquet étaient les vagues de l’océan déchaîné, le lustre du plafond se balançait en grinçant comme un mutin pendu à la grande vergue.

“Terre ! Terre !” criait Cat, juchée sur les épaules de Mad.

Les pirates accostaient.

Cat et Mad étaient tous deux amis à la vie à la mort. Mais la fièvre de l'or a défait plus d'une amitié...

Le soleil tapait dur sur les crânes, et creuser sous ce maudit palétuvier semblait durer une éternité. A la fin, le trésor était déterré. C'était un coffre plein d'émeraudes, de diamants et de rubis.

Soudain, Cat le pirate se tournait vers son ami et braquait sur lui un énorme pistolet.

"C'est ici que nos chemins se séparent ! Ce trésor est trop petit pour nous deux."

Le traître ! Il ne voulait pas partager.

Cat le pirate tirait trois fois en plein cœur. Mad s'écroulait parmi les racines du palétuvier. Le misérable Cat se penchait sur la poitrine de celui qui avait été son ami. Alors, les deux grosses mains de Mad se refermaient sur la gorge de Cat.

"Viens avec moi, vieux frère ! A la vie, à la mort ! Viens me rejoindre dans mon sommeil profond !"

Et les deux sœurs s'écroulaient, endormies, dans les bras l'une de l'autre.

El Papagayo

Un jour que le vent meuglait au-dehors, Cathie Mini sentit qu'il allait se passer quelque chose, 10, rue des Frissons.

La porte d'entrée s'ouvrit avec fracas, et une voix caverneuse jeta ces paroles cinglantes :

"Eteignez vos pipes, marins d'eau douce ! La fumée me pique les yeux."

Les pirates poussèrent d'affreux jurons. De table en table, on entendit grommeler :

"Le perroquet de Tom Timothy ! El Papagayo ! Que le diable l'emporte !"

"Un verre de rhum et un !" glapit El Papagayo en sautant sur le comptoir.

Madeleine se pencha pour voir quel effronté client sautillait ainsi sur le zinc.

"Ici, on ne sert pas les animaux ! rétorqua-t-elle.

- Pour qui me prends-tu ? demanda El Papagayo avec hauteur. Je suis l'oiseau bigarré, l'âme damnée de Tom Timothy, la terreur des sept mers !

- Je te trouve le bec un peu rouge pour être honnête ! continua Madeleine. As-tu au moins de quoi payer ?

- Si j'ai de quoi payer ! s'écria le perroquet en éclatant de rire. Apprends donc qu'El Papagayo achète tout avec des histoires. Je t'en raconte une et tu m'offres à boire. Celle-ci est particulièrement juteuse, elle parle d'une amitié trahie, et je parie qu'elle passionnera tes ivrognes...

- Marché conclu, dit Madeleine en tendant un verre de rhum au perroquet. Raconte !"

L'oiseau avala une goulée de rhum et la fit claquer sous la langue.

"Ma foi, dit-il, c'est du meilleur, et je m'y connais ! Maintenant, toi, la petite, va réveiller le feu qui est en train de s'endormir. Je veux un peu d'atmosphère."

"On va passer un bon moment, les gars! chuchota à ses voisins un estropié au pilon d'or. Il paraît qu'El Papagayo est un fameux conteur."

Cathie Mini vint s'asseoir sur le haut tabouret du comptoir, et elle était si petite que ses jambes ne touchaient plus terre...

Histoire d'une amitié

Voici ce que raconta El Papagayo :

"Tom Timothy, mon maître, n'avait qu'un ami, un seul, depuis l'enfance. Calico Jack, qu'il s'appelait. Il parlait toutes les langues à la perfection. Et de plus, lorsqu'il avait bu un coup de trop, il vous sortait des langues inconnues sur terre !

A huit ans, les deux garnements s'étaient jurés que plus tard, ils deviendraient les pirates les plus redoutés des Caraïbes et qu'ils resteraient amis à la vie à la mort.

Le jour de leurs vingt ans, le rêve était devenu réalité. A bord de *la Mort Joyeuse,* Tom Timothy et Calico Jack pillaient les galions espagnols sur la mer des Antilles.

C'est ainsi que je tombai entre les mains de Tom Timothy. Un capitaine de vaisseau devait m'offrir au roi d'Espagne, et, ironie du sort, je devins pirate !

Nous partîmes cent fois à l'abordage, et c'est par sale temps que nous frappions les plus mauvais coups. Nos cales pleines, nous repartions en chantant à tue-tête.

Puis nous allions dilapider notre fortune dans un nouveau pays. A nous, les meilleures auberges, les plats les plus épicés, les boissons les plus ardentes et les bains les plus parfumés !

L'argent brûlait les doigts de Tom Timothy, et Calico Jack le suivait à contrecœur dans ses folles dépenses.

C'est qu'ils étaient différents, les deux bougres !

Tom Timothy était un sacré gaillard de six pieds huit pouces. Avec ça, carré comme un taureau, et flanqué d'une tignasse rousse qui n'avait jamais connu le peigne ! Il s'habillait de vert, de rouge et de jaune, parlait haut, riait gras, mangeait comme quatre et buvait comme dix.

En revanche, Calico Jack était si sombre et fuyant qu'au début, je le pris pour l'ombre de mon maître ! Il donnait toujours l'impression de raser les murs. Malgré tout, il était coquet, vêtu comme un prince avec des bottes pourpres bien cirées.

quelque temps plus tard, il est enseveli, le diable seul sait par qui !

Malheureusement, personne n'a jamais pu trouver le chemin de l'île, à moins d'être guidé par un vautour. Mais qui souhaiterait découvrir des trésors escorté par un tel croque-mort ?

"Cette île n'est qu'une légende, protesta Tom Timothy. Comme le cimetière des éléphants."

Calico Jack blêmit. Pris d'une colère terrible, il saisit le verre de Tom Timothy, eut un horrible rictus et le brisa.

"Je trouverai l'île aux Vautours coûte que coûte !" dit-il d'une voix sifflante.

A partir de ce jour-là, les courses au trésor reprirent, mais le charme était rompu. Un mal inconnu rongeait Calico Jack...

El Papagayo s'arrêta, et cria d'une voix rauque :

"Holà, la grande ! J'ai le gosier sec. Cette histoire devient si triste qu'il me faut bien trois verres de plus !"

Histoire d'une trahison

Madeleine servit trois verres de rhum sans rechigner et le perroquet continua son récit :

“Un jour, Tom Timothy et Calico Jack abordèrent une goélette au large de Veracruz. Trois heures d'un furieux combat, pour un butin minable : des animaux exotiques pour le zoo d'Amsterdam ! Calico Jack était tout pâle. Il se roula par terre, hurlant qu'il agonisait. N'importe qui l'aurait cru, d'autant plus qu'il répandait une odeur de charogne épouvantable. J'ai compris plus tard qu'il s'était enduit le corps d'un baume de son invention. Même un vautour s'y laissa prendre et se mit à voler devant nous.

"Il veut nous conduire à son île, mon vieux Tom... souffla le traître d'une voix mourante. Ah, si je pouvais la voir avant de rendre mon dernier soupir..."

A la barre de *la Mort Joyeuse,* Tom Timothy ne pouvait retenir ses larmes.

L'arrivée sur l'île fut sinistre. Moi qui m'attendais à ouvrir les yeux sur le paradis, j'eus un avant-goût de l'enfer. C'était un paysage de fin du monde. **Le Grand Pirate de là-haut avait même volé le bleu du ciel et le rouge de la terre !**

Nous fûmes accueillis par des milliers de vautours qui ricanaient sur des arbres squelettiques. Tom Timothy et moi-même traînâmes péniblement notre compagnon malade sur une terre couverte d'ossements humains.

Sous un cocotier, un grand gaillard au poitrail tatoué creusait la terre de ses ongles. C'était un naufragé de longue date, à l'air à moitié fou, qui nous conduisit jusqu'à sa grotte.

Sa grotte ? La caverne d'Ali Baba ! Il y avait là autant de pièces d'or amoncelées jusqu'au plafond que de gouttes d'eau dans la mer. Ça faisait même des vagues quand on marchait dessus.

"Ce n'est pas le plus beau... bredouilla Le Tatoué.

Il ouvrit une malle qui n'était même pas fermée à clef. Elle contenait une bible, un compas, et un rouleau de papier qu'il déroula en tremblant. Nous avions en main la carte de l'île aux Vautours, avec l'emplacement exact de tous les trésors des pirates qui étaient venus y mourir...

Le Tatoué avait même déterré le plus fabuleux de tous les trésors, celui de la veuve Ching, la redoutable pirate des mers de Chine qui avait régné sur cinq cents bateaux.

Le pauvre fou, échoué depuis des années sur l'île, avait passé ses journées à déterrer les trésors et à noter leur emplacement sur la carte. Cette tâche l'avait sûrement sauvé de la mort !

Les yeux de Calico Jack roulaient dans leurs orbites. La sueur dégoulinait sur son front. La fièvre de l'or le possédait jusqu'à la moelle !

"Faut te coucher, dit Le Tatoué, en l'allongeant de force sur un lit de diamants. Je vais chercher des herbes..."

Ni ses baumes ni ses potions ne firent baisser la fièvre. Pendant des heures, Calico Jack poussa des cris épouvantables tandis que nous nous agitions en vain pour le guérir. A minuit, il se tourna vers moi et me chuchota à l'oreille :

"Mon vieux Papagayo, c'est la fin, je le sens. Veille bien sur Tom et continue à le faire rire avec tes histoires..."

Puis il prit la main de Tom Timothy :

"Vieux frère, je vais mourir avant l'aube. Je ne veux pas que mon cadavre soit déchiqueté par les vautours. Je t'en prie, va creuser ma tombe et prie pour le salut de mon âme."

Le reste de la nuit, Tom Timothy, Le Tatoué et moi, nous creusâmes une tombe digne de ce nom, un beau trou bien profond. Ce fut sacrément long car les vautours affamés voltigeaient autour de nous, et devant leurs assauts répétés, nous dûmes lutter à coups de pelle.

A l'aube, la tombe était creusée. Mais Calico Jack avait disparu de la grotte. Le maudit traître avait fui sur la *Mort Joyeuse* en emportant le fabuleux trésor de la veuve Ching, ainsi que la carte de l'île aux Vautours !

Des pièces d'or dans un verre de rhum !

Cathie Mini n'avait pas atteint la dernière marche de l'escalier que sa bougie s'éteignait. Une rafale de vent meuglant venait de la souffler.

"Le soupirail est grand ouvert ! s'écria la petite fille. Diable, quelle tempête !"

Elle courut fermer le cadenas du soupirail. Après avoir rallumé la bougie, elle examina la cave.

"Peste ! se dit-elle. Il y a sept tonneaux de trop..."

Elle sortit un verre de sa poche. Ce n'était pas qu'elle aimait le rhum, cette enfant, mais elle devait en goûter la qualité avant de remplir les bouteilles. Elle s'avança près d'un tonneau suspect, tendit son verre et ouvrit le robinet. Des pièces d'or sonnantes et trébuchantes jaillirent dans le verre et roulèrent sur le sol. Ebahie, Cathie Mini referma le robinet. Et c'est alors qu'elle vit luire entre deux tonneaux deux énormes bottes pourpres.

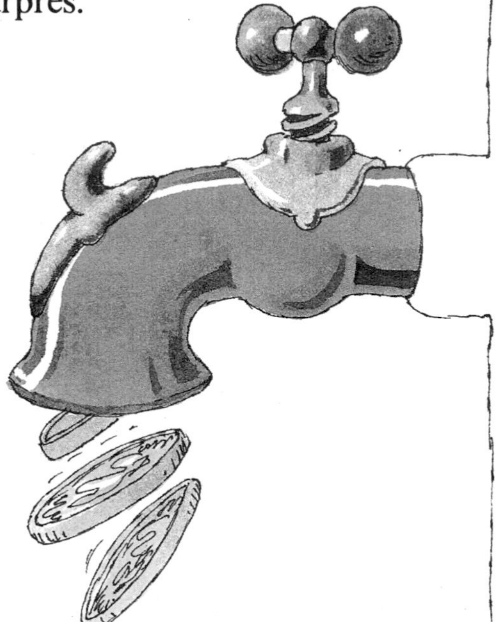

"Calico Jack ! se dit-elle sans oser lever le nez pour voir le visage du pirate. Faisons comme si de rien n'était."

"Cathie, lui cria Madeleine. Dépêche-toi ! Les matelots réclament leur rhum !"

A la hâte, la petite fille fourra toutes les pièces d'or dans ses poches. Puis elle remplit les bouteilles à un autre tonneau, remonta à la taverne, et ferma la trappe à double tour.

Tu ne nous échapperas pas, gredin ! chuchota-t-elle.

- A qui parles-tu, petite ? demanda El Papagayo, toujours assis sur le comptoir.

- Oh, je me raconte des histoires, lui répondit Cathie Mini.

- En attendant, reprit le perroquet, sers-moi à boire."

Il avala cul sec son verre de rhum et se tourna vers l'assemblée des pirates.

"Et maintenant, je vous le dis, proclama El Papagayo en gonflant ses plumes, Calico Jack est dans cette taverne, caché parmi ces infâmes pirates.

- Le rhum te monte à la tête ! s'exclama Madeleine. Je ne tolère pas qu'on insulte mes clients."

Elle empoigna le cou du volatile et le jeta dans le baquet d'eau glacée. Le perroquet se débattit comme un beau diable, en essayant de mordre les doigts de Madeleine. Mais elle tint bon et le savonna puis le rinça trois fois.

Les pirates applaudirent à tout rompre. Mais pas Cathie Mini. Elle aimait bien l'oiseau bigarré qui racontait de si belles histoires.

"Je reviendrai, Madeleine ! s'écria El Papagayo, en sortant tout dégoulinant du baquet. Je reviendrai ce soir avec Tom Timothy, mon maître, et ma vengeance sera terrible !

- C'est ça, reviens avec ton maître !" dit Madeleine en le chassant d'un coup de balai.

Après le départ d'El Papagayo, les pirates n'avaient plus le cœur à s'amuser.

"Pauvre Madeleine ! soupira l'aveugle aux pistolets d'or. Tom Timothy sera impitoyable. Et ce n'est pas ce petit bout de Cathie Mini qui la défendra !"

Les uns après les autres, les braves pirates fuirent la taverne comme des rats quittant le navire. Lorsque le dernier d'entre eux claqua la porte, le soleil se couchait.

Alors, Cathie Mini s'approcha de Madeleine, les yeux brillants.

Où Tom Timothy surgit

La petite fille sauta sur une table et se mit à danser entre les verres et les bouteilles. Et tandis qu'elle sautillait, les pièces d'or dans ses poches tintinnabulaient.

"Entends-tu, Madeleine, chantait Cathie Mini. Entends-tu la chanson des pièces d'or ? Et il y en a bien d'autres encore..."

Madeleine la regardait bouche bée, sans comprendre.

A ce moment-là, le passager clandestin qui se trouvait à la cave, jugea bon de se manifester et tambourina contre la trappe :

"Ouvrez-moi, je vous en prie ! supplia-t-il. Je suis un client de la taverne, vous savez, l'aveugle aux pistolets d'or. Je me suis égaré dans cette cave..."

“Pauvre homme ! s’écria Madeleine qui s’élançait pour le délivrer.

- N’ouvre pas ! dit Cathie Mini en se postant sur la trappe. Je sais bien qui tu es, infâme traître ! Je t’ai reconnu à tes belles bottes pourpres ! Tu es Calico Jack, celui qui a abandonné ses compagnons sur l’île aux Vautours !

- Mon Dieu ! Mon Dieu ! soupirait Madeleine, effondrée. Ma taverne serait-elle devenue un repaire de brigands ?

- Eh bien, puisque tu sais qui je suis, continua le pirate d’une voix mielleuse, faisons un marché. Tu me rends ma liberté, et je partage avec toi mes fabuleux trésors.

- Je ne te crois pas, chafouin ! répliqua Cathie Mini, en donnant un coup de talon sur la trappe.

- Puisqu'il en est ainsi, j'enfonce la trappe !" s'écria Calico Jack à bout de patience.

Les deux sœurs échangèrent un bref coup d'œil. Que poser sur la trappe ? En un tournemain, elles posèrent le baquet d'eau glacée qui était rudement lourd à soulever.

"Je vais compter jusqu'à trois ! cria Calico Jack. Et de une... et de deux... et de trois !"

La trappe s'ébranla avec un bruit épouvantable mais ne s'ouvrit pas.

"Je te conseille de ne pas faire autant de bruit, railla Cathie Mini. Bientôt, nous avons rendez-vous avec notre ami Tom Timothy. Et je crois bien qu'il a deux mots à te dire..."

Calico Jack répondit par un flot d'injures étouffées.

Cathie Mini éclata de rire, prit Madeleine par la main et l'entraîna jusqu'à la chambre.

"Et maintenant, ferme les yeux !" ordonna-t-elle.

La petite fille ouvrit le coffre noir aux clous dorés et entassa ses pièces d'or.

"Ouvre les yeux, Madeleine ! cria-t-elle en lui mettant son nouveau trésor sous les yeux. Crois-tu qu'il y ait assez de pièces

pour faire le tour du monde sur un beau galion ?

- Cathie ! Ne me dis pas que ce sont les pièces du trésor de l'île aux Vautours ! s'exclama Madeleine en examinant de près chaque pièce.

- Enfin tu y crois ! s'écria Cathie Mini. Enfin tu te rends compte que nous ne sommes entourées que de pirates !

Et, à la fenêtre, El Papagayo ricanait sur l'épaule d'un gigantesque gaillard rouge de peau et de poil, à la chemise jaune, au pantalon rouge retroussé sur des bottes vertes cloutées. Il portait à la hanche un étui en peau de crocodile d'où brinquebalaient des coutelas bien affûtés, et riait de toutes ses dents blanches. Ah, ses dents ! il en avait au moins cent !

En une fraction de seconde, Tom Timothy avait brisé la fenêtre d'un coup de botte. A mesure qu'il avançait, Cathie Mini reculait. Il était si haut que sa tête touchait presque les poutres du plafond et si terrible que son rire vous donnait envie de courir dans le noir, sans jamais plus vous retourner.

Il ramassa une des pièces dispersées dans le coffre, y donna un bon coup de dents et la fourra dans sa poche.

“C’est de l’or et du bon, dit-il d’une voix rocailleuse. Tu avais raison, Papagayo. Il s’agit bien du trésor de l’île aux Vautours.

- Plonge la grande dans le baquet d’eau glacée, glapit le perroquet. Ça la rendra bavarde.”

Le géant rouge fonça sur Madeleine, l’attrapa par les cheveux et la traîna au milieu de la pièce. La jeune fille criait et donnait des coups de pied.

“Lâche ma sœur, espèce de brute ! cria Cathie Mini, en tirant le pirate par la botte. Calico Jack t’attend en bas, à la cave, avec sept tonneaux d’or...”

A la vie à la mort !

Tom Timothy écarta d'un coup de pied le baquet d'eau glacée posé sur la trappe, et Cathie Mini ouvrit la serrure.

"Maître... bredouilla El Papagayo, vous ne voulez pas que je vous accompagne ?

- Non, mon vieux compagnon, répondit gravement Tom Timothy en secouant sa tignasse rousse. Je veux un tête-à-tête loyal avec Calico Jack, d'homme à homme."

Il défit son étui en peau de crocodile d'où brinquebalaient ses coutelas et ses pistolets, et le posa sur le comptoir. Puis il prit la lampe tempête que lui tendait Cathie Mini.

"Et vous, les petites, dit-il à Madeleine et à Cathie Mini, ne vous approchez pas. Ce sont des histoires de pirates."

Visiblement ému, il tapota la tête d'El Papagayo, ouvrit la trappe et s'engouffra dans l'escalier. Ses pas pesants résonnaient sourdement sur la pierre.

Le pirate agitait la lampe tempête pour éclairer les coins sombres de la cave. Tout était silencieux. On entendait seulement trottiner les souris.

"Holà, Calico Jack ! Où es-tu ?" cria-t-il.

"Par le grand chasse foudre ! rugit El Papagayo en descendant à son tour. Je ne vais pas rester planté là. Vous, les petites, mettez-vous au poulailler. Mais l'oiseau bigarré, lui, en a vu de toutes les couleurs ! Il a droit aux premières loges."

"Holà, Calico Jack ! répétait Tom Timothy. Où te caches-tu ?

Et sa grosse voix résonnait en écho dans la cave.

"Tom Timothy, mon ami ! répondit une voix sourde, au fond d'un tonneau.

-Ah, te voilà, vieux forban ! tonna Tom Timothy en levant les bras. Regarde, je suis venu sans armes, pour m'expliquer avec toi ! Jette tes armes à ton tour et viens discuter.

- Hélas, Tom, dit tristement Calico Jack. Ne m'approche pas, je suis maudit à présent."

Il eut un sanglot étouffé.

"Oui, je t'ai trahi, toi, mon meilleur ami.

Mais sais-tu que depuis je vis dans le tourment ? Lorsque j'ai quitté l'île aux Vautours à bord de la *Mort Joyeuse* en vous abandonnant à votre triste sort, la mer a jeté sur moi tous ses maléfices. J'ai traversé d'effroyables tempêtes, je me suis embourbé dans la vase et les algues, j'ai failli disparaître dans un raz de marée... Et cela, je l'ai affronté seul. Lorsque nous étions ensemble, nous chantions à tue-tête pour faire peur aux tempêtes, et rien ne pouvait nous atteindre. Maintenant, je suis seul et tout peut m'arriver."

Au loin, une corne de brume résonna, sinistre.

"Sors de ta cachette, Calico Jack ! dit Tom Timothy. Je veux te parler bien en face.

- Je n'ose pas te montrer mon visage, répliqua Calico Jack. Je vis comme un rat et je ressemble à un rat. En ville, tous les gens me fuient. Et quand je veux reprendre la mer à bord de la *Mort Joyeuse,* les éléments se déchaînent contre moi. Pas de doute, ce bateau est ensorcelé. Comment continuer cette vie de damné ?"

Il se tut. On entendit le robinet d'un tonneau couler goutte à goutte.

"J'ai décidé de vous abandonner mon trésor, conclut Calico Jack, à toi et au Papagayo. Et moi, je disparaîtrai dans la nuit.

- Mais pourquoi ne pas recommencer comme avant ? demanda Tom Timothy en avançant d'un pas.

- Ne discute pas ! fit rudement Calico Jack. Laisse moi fuir !"

Mais le géant rouge voulait absolument voir son ancien ami. Il s'avança encore... une balle siffla près de son oreille et vint se planter dans un tonneau. Le rhum gicla.

“Traître ! rugit Tom Timothy. J’étais venu sans arme !”

Calico Jack sauta par-dessus les tonneaux et se retrouva face à face avec son ancien ami. Tom Timothy sursauta. Le pirate aux bottes pourpres était presque méconnaissable. Son visage était tellement pâle et amaigri qu’il ressemblait à une tête de mort.

“Regarde une dernière fois cette face de traître !” hurla Calico Jack.

Il brandit son pistolet et tira trois fois, en plein cœur. El Papagayo poussa un cri. Tom Timothy s’était écroulé.

Calico Jack eut un mauvais sourire.

“Ah, ah ! ricana-t-il. Tu as cru peut-être que j’allais te laisser mes trésors ? Mais damné pour damné,
je resterai riche !”

Il se pencha sur le géant roux pour vérifier si celui-ci était bien mort. Alors, les grosses mains de Tom Timothy se refermèrent sur la gorge du traître.

"Viens avec moi, vieux frère, murmura le mourant. A la vie à la mort ! Viens me rejoindre dans mon dernier sommeil !"

Et les deux pirates s'écroulèrent, morts, dans les bras l'un de l'autre.

Aux premières loges,
El Papagayo sanglotait.

Madeleine et Cathie Mini font le tour du monde

10, rue des Frissons, c'était l'adresse d'une taverne fameuse dans le port d'Amsterdam. Les pirates de la terre entière s'y donnaient rendez-vous pour boire le meilleur rhum du pays et goûter au foudre brûlant.

Le lendemain de cette nuit maudite, les pirates furent bien surpris de voir cette pancarte qui pendait au loquet :

Pendant ce temps, un beau galion, fraîchement repeint en rouge, en vert, en jaune, prenait le cap des mers du Sud sous un ciel rosissant. C'était la *Mort Joyeuse* qui avait été rebaptisé *10, rue des Frissons*.

Si vous le rencontrez en pleine mer, vous verrez Cathie Mini, ce diablotin, perchée sur la grande hune. Elle a fière allure avec son pantalon corsaire et sa mèche sur l'œil, la main en visière sur les yeux. De temps à autre, elle crie pour signaler les monstres marins et les bateaux fantômes.

Vous verrez aussi Madeleine tenir la barre d'une main de fer. Saperlipopette ! On reconnaît bien la main qui a jeté plus d'un pirate dans le baquet d'eau glacée !

Et puis, vous verrez El Papagayo consulter fébrilement des cartes parcheminées. Dès qu'il vous apercevra, il les cachera.

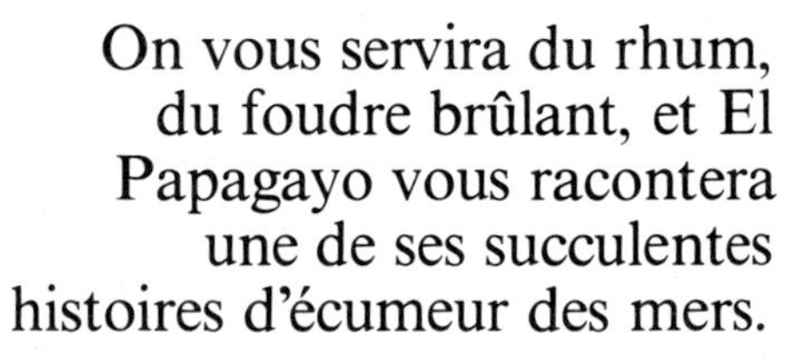

On vous servira du rhum, du foudre brûlant, et El Papagayo vous racontera une de ses succulentes histoires d'écumeur des mers.

Mais ne parlez surtout pas de l'île aux Vautours. C'est peut-être bien la prochaine destination du *10, rue des Frissons*...

Marie et **Raymond Farré** aiment goûter avec des enfants. Au cours de ces goûters, ils inventent des histoires débordantes d'imagination. Ces récits sont souvent devenus des livres. Auteurs des *Mille et une Barbes* dans la collection Folio Benjamin, Marie et Raymond Farré sont aussi d'excellents traducteurs que les jeunes lecteurs (et Roald Dahl) connaissent bien. Comme elle a été comédienne, Marie va souvent dans les bibliothèques pour discuter avec les enfants et leur raconter et mimer ses histoires.

Roland Sabatier est né en 1942, en Province. Il avoue avec malice avoir fait de bruyantes études aux Beaux-Arts de Paris dans la section cuivres de la fanfare d'architecture. Il semble avoir abandonné « les cuivres » et la fanfare pour s'adonner à la « charcuterie » : au cœur de l'Auvergne, il tue « au moins deux cochons par an ». Il dessine pourtant, et beaucoup, pour la presse de loisir et pour les ouvrages scolaires. Dans la collection Enfantimages, il a illustré *Le marchand de sable ne passe jamais* et, pour Folio Junior, il a exécuté la couverture de l'*Histoire de Sindbad le marin.*

collection folio cadet

Nº 1 **Dictionnaire des mots tordus,** Pef
Nº 2 **Le chasseur et la femme oiseau,** G. Bourgadier/N. Vogel
Nº 3 **La nuit des bêtes,** J.-P. Andrevon/G. Franquin
Nº 4 **Une pomme de terre en or massif,** J. Héron
Nº 5 **La grenouille d'encrier,** B. Beck/J. Claverie
Nº 6 **Le briquet,** H. Andersen/N. Claveloux
Nº 7 **Un poney dans la neige,** J. Gardam/W. Geldart
Nº 8 **Les marins fantômes,** B. Zithov/P. O. Zelinsky
Nº 9 **L'enlèvement de la bibliothécaire,** M. Mahy/Q. Blake
Nº 10 **Drôles de pirates !,** S. Kroll/Hafner
Nº 11 **L'invité du ciel,** I. Asimov/A. Bozellec
Nº 12 **Clément aplati,** J. Brown/T. Ross
Nº 13 **Le grand charivari,** M. Mahy/Q. Blake
Nº 15 **Pas de chance pour M. Taupe,** K. Bracharz/T. Hauptmann
Nº 16 **Louis Braille,** M. Davidson/A. Dahan
Nº 17 **La Belle et la Bête,** L. de Beaumont/W. Glasauer
Nº 18 **Du commerce de la souris,** A. Serres/C. Lapointe
Nº 19 **Le bébé dinosaure,** F. Mayröcker/T. Eberle
Nº 20 **Le vitrail,** P. Lively/G. Delepierre
Nº 21 **Les aventures de Papagayo,** M.-R. Farré/R. Sabatier
Nº 27 **Fantastique Maître Renard,** R. Dahl/J. Bennett
Nº 28 **Le détective de Londres,** R. et B. Kraus/R. Byrd
Nº 29 **Il était une fois deux oursons,** H. Muschg/K. Bhend-Zaugg
Nº 30 **Le terrible chasseur de lune,** D. Haseley/S. Truesdell